MOI, CALVIN

JR et Vanessa Ford

Illustrations de
Kayla Harren

Texte français de Christian Martel

SCHOLASTIC

Aux enseignants et modèles qui ont serré notre famille dans leurs bras : Myesha Seabron, Maria Nguyen, Jessica Cisneros, Tyrone Ferrell, Guye Turner, Stacey Dunleavy, Jennifer Hajj, Amy Fennelly, Emma Quinlan, Gavin Grimm, Rebecca Kling et Joanna Cifredo. — J. R. F. et V. F.

À mes parents aimants, généreux et encourageants. — K. H.

Catalogage avant publication de Bibliothèque et Archives Canada

Titre: Moi, Calvin / JR Ford, Vanessa Ford ; illustrations de Kayla Harren ; texte français de Christian Martel.
Autres titres: Calvin. Français
Noms: Ford, JR, auteur. | Ford, Vanessa, auteur. | Karren, Kayla, illustrateur.
Description: Traduction de : Calvin.
Identifiants: Canadiana 20210363533 | ISBN 9781443193634 (couverture souple)
Classification: LCC PZ23.F672 Mo 2022 | CDD j813/.6—dc23

Édition publiée par les Éditions Scholastic, 604, rue King Ouest, Toronto (Ontario) M5V 1E1, en vertu d'une entente conclue avec G.P. Putnam's Sons, une marque de Penguin Young Readers Group, une division de Penguin Random House LLC.

5 4 3 2 1 Imprimé en Chine 62 22 23 24 25 26

Conception graphique de Nicole Rheingans. Le texte a été composé avec la police de caractères Minion Pro.
Les illustrations ont été réalisées avec Adobe Photoshop et Procreate.

MIXTE
Papier issu de sources responsables
FSC® C020056
FSC www.fsc.org

D’aussi loin que je m’en souvienne,
j’ai toujours su que j’étais un garçon.

Je me dessinais avec des cheveux courts
et des chemises comme celles de grand-papa.
Je rêvais de maillots de bain comme
ceux de mon père et de mon frère.

C'est seulement le soir avant notre voyage
estival chez Gigi et grand-papa que je l'ai dit à mes parents.
J'avais peur qu'ils ne me croient pas.
Mais je savais que le temps était venu d'être moi-même.

Chaque fois que je dois faire quelque chose
qui me fait peur, papa me dit :
— Respire profondément et compte à rebours à partir de cinq.

Inspire. Expire.

5 - 4 - 3 - 2 - 1.

J'ai dit à ma famille :
— Je ne suis pas une fille.

Je suis un garçon. Un garçon dans mon cœur et dans ma tête.

Mon père a répondu :

— Nous t'aimons, que tu sois une fille, un garçon, les deux, ou aucun des deux.

Plus tard, mon père m'a appris que le mot qui exprime ce que je ressens est *transgenre*.

Être transgenre signifie que les autres pensent que tu es d'un genre en particulier, mais que tu sais, toi, que tu es d'un genre différent.

Je me demandais comment Gigi et grand-papa allaient réagir.
Alors que nous approchions de chez eux,
j'ai serré mon lion très fort sur ma poitrine.
J'avais déjà dit qui j'étais à mes parents.
Je devais maintenant leur dire mon nom.

— Le même nom que ton
lion préféré? a demandé papa.
— C'est pour ça que je l'ai nommé ainsi.
Pour moi, ça a toujours été mon nom.

Lorsque nous sommes arrivés chez Gigi et
grand-papa, papa leur a annoncé mon nouveau nom.

C'est *moi* qu'il a présenté.

Notre voyage estival a été le meilleur de ma vie!
Au congrès de bandes dessinées, grand-papa m'a acheté
mon costume préféré. Mon superhéros favori a signé
mon affiche en utilisant mon vrai nom.

Au parc aquatique, Gigi m'a acheté
le même maillot de bain qu'à mon frère.

Même les glissades me
paraissaient plus amusantes
en portant ce maillot.

Dans la file pour acheter du maïs soufflé,
je me suis fait un nouvel ami.
J'étais fier de lui dire mon nom.

Nous avons passé toute la journée ensemble.

Lors du dernier jour de nos vacances, au grand centre commercial près de chez Gigi et grand-papa, j'ai choisi de nouveaux vêtements.

Ce soir-là, j'ai fait un défilé de mode pour ma famille.

— Tu es très beau, m'a dit Gigi.

L'école allait bientôt commencer, et je savais qu'il restait une chose à faire pour que je me sente vraiment moi-même.

Lorsque j'ai regardé dans le miroir, j'ai finalement vu…

moi.

Papa m'a dit qu'il existait d'autres personnes transgenres dans le monde, mais je ne connaissais pas d'autres enfants comme moi à l'école, et l'école commençait la semaine suivante.

Être le seul me faisait peur.

Comment serais-je traité par les autres?

Et si mes amis refusaient de parler de moi en disant « il »?

Et si… et si… et si.

Le jour de la rentrée, je me suis rendu à l'école en traînant les pieds.

Inspire. Expire.

5 - 4 - 3 - 2 - 1.

— Bon retour à l'école!
Nous sommes heureux de te voir!
Lorsque le directeur a dit mon nom,
je me suis senti heureux et en sécurité.

Violette est venue me voir en sautillant,
m'appelant aussi par mon nom.
— Tu connais mon nom? lui ai-je demandé.

— Oui! Ton père a dit à ma mère que tu es un garçon maintenant.
— Je me suis toujours senti comme un garçon.
Sommes-nous encore amis?
— Oui! As-tu amené ta corde à danser pour la récréation?

Lorsque je suis entré dans la salle de classe,
je ne croyais pas ce que je voyais.

Le casier.
Le tableau des dîners.
La table des devoirs et
les boîtes de courrier.
L'étiquette sur la table.

Mon nouveau nom était partout!
Partout où il devait être.

Natasha
Derek
André
Monique
Calvin
Amira
Alex
Monique
Calvin

J'ai senti que mes peurs commençaient à disparaître.
— Bienvenue, tout le monde! Pour la rencontre du matin, nous allons parler de notre été.
Je savais ce que j'allais dire lorsque viendrait mon tour.

M.J.
Mme C.

Je me suis levé avec fierté pour partager l'histoire de mon été.

Mais tout d'abord, je me suis présenté.

— Bonjour! ai-je dit. Je m'appelle Calvin. C-A-L-V-I-N.

Et j'ai senti tous les « et si? » s'envoler…

MOT DES AUTEURS

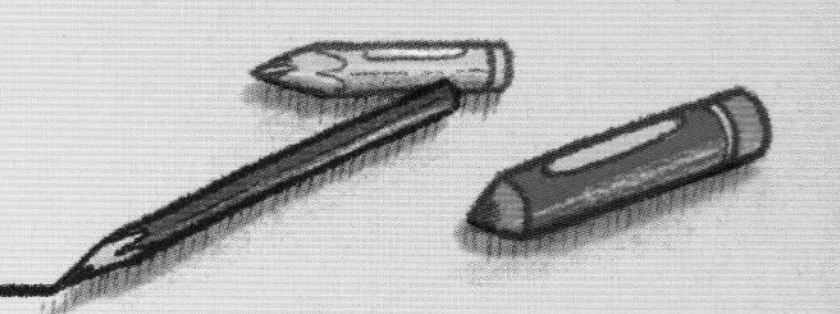

Ce livre parle d'un jeune garçon, Calvin, qui veut être vu tel qu'il est vraiment.

Convaincre les autres que *vous* savez qui vous êtes, et que vous le savez mieux que quiconque, peut être difficile pour n'importe qui, et particulièrement pour les enfants transgenres. Calvin est transgenre, ce qui signifie que même si tout le monde pensait qu'il était une fille à sa naissance, Calvin savait dans son cœur et dans sa tête qu'il était en fait un garçon. Nous avons appris l'existence de l'identité transgenre grâce à l'un de nos enfants, que nous croyions être un garçon. Elle nous a dit, au même âge que Calvin : « Je suis une fille. Une fille dans mon cœur et dans ma tête. »

Nous avons aussi appris que les enfants transgenres peuvent s'épanouir lorsqu'ils sont soutenus par leur famille, leurs amis et leur école. Dans ce livre, le soutien que reçoit Calvin est basé sur les meilleures pratiques actuelles. Il voit son nom sur son casier, sur le tableau des dîners et partout dans la classe. Le directeur s'assure d'appeler Calvin par son nom. Violette, son amie, connaît aussi le nouveau nom de Calvin, car ses parents ont pris soin de le lui dire. Les adultes de l'entourage de Calvin affichent très clairement qu'ils le soutiennent dans son identité. Affirmer et célébrer le nom et le genre d'un enfant transgenre est essentiel à son bien-être.

L'expérience de Calvin reflète l'expérience de notre propre enfant transgenre et celle de plusieurs autres enfants transgenres qui ont inspiré l'écriture de cette histoire. Nous savons qu'il peut être délicat de parler de cette situation aux enfants, particulièrement lorsque vous la découvrez pour la première fois aussi. C'est pourquoi nous avons écrit ce livre, mais nous ne pouvions l'écrire qu'avec l'aide d'autres personnes.

En tant que militants, nous avons eu la chance d'entreprendre cette aventure comme parents aux côtés de milliers d'autres personnes de tous âges et de tous genres, ce qui a amélioré nos vies et renforcé notre famille. L'histoire de Calvin est un amalgame des expériences que nous avons connues auprès d'innombrables jeunes trans qui s'épanouissent lorsqu'ils sont soutenus par les adultes présents dans leur vie.

Nous espérons que ce livre offrira un exemple de la force avec laquelle les enfants transgenres peuvent briller si on leur en donne la chance.

— JR et Vanessa
Printemps 2021